ECOLE ST. JOSEPH
WENDOVER, ONTARIO

PROUCHE

la grande aventure
d'ALPHONSE DESJARDINS

Desjardins

Idée originale et coordination :
Pierre Goulet

Collaboration à la conception :
Guy Bélanger, historien
Carole Pouliot, graphiste

Décors et couleur :
Louis Larouche
Sacha Barette, graphiste

Supervision de la production :
Denys Frenette

Révision:
Solange Deschênes
Claude Lachance

Photogravure et impression :
Litho Acme

Cette édition a été produite par:
La Confédération des caisses
populaires et d'économie Desjardins du Québec
100, avenue des Commandeurs
Lévis (Québec)
Canada
G6V 7N5

Dépôt légal -1er trimestre 1990
Bibliothèque nationale du Québec
Bibliothèque nationale du Canada

ISBN 2-89102-024-3

Seconde moitié du XIXe siècle : c'est le début de la période la plus difficile pour le Québec et le Canada. En moins d'un demi-siècle, la misère, le chômage et le découragement poussent plus de 500 000 Canadiens français à quitter parents et amis pour trouver du travail à la ville.

C'est la grande exode vers les États-Unis et les villes du Québec. Mais trouveront-ils cette richesse et cette prospérité tant convoitées ?

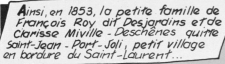

Ainsi, en 1853, la petite famille de François Roy dit Desjardins et de Clarisse Miville-Deschênes quitte Saint-Jean-Port-Joli, petit village en bordure du Saint-Laurent...

... Et s'établit à Lévis très modestement.

Les mois passent et le 5 novembre 1854 ...

Marie-Clarisse, François-Xavier, Louis-Georges, Charles, venez vite !!! Vous avez un nouveau petit frère.

Oh ! ce qu'il est beau !

C'est vrai qu'il vient d'une feuille de chou ?

Mes enfants, je vous présente GABRIEL-ALPHONSE DESJARDINS.

Les temps sont durs et la nouvelle vie tout aussi difficile...

... Désolé mon gars, reviens nous voir dans quelque temps...

J'ai une mauvaise nouvelle, Clarisse...

...J'ai perdu mon emploi.

Mon Dieu! Qu'est-ce qui va nous arriver?

Mais, finalement, Clarisse trouve un emploi de femme de ménage et, chaque matin, elle part travailler...

...Le soir venu, elle rentre, exténuée.

Encore heureux que Marie-Clarisse s'occupe des enfants. Même si ça me fait de la peine de la voir manquer l'école si souvent.

J'ai fait manger tout le monde. Le petit Alphonse est couché et il dort. Ton repas est chaud, maman.

Merci, Marie-Clarisse, t'es une grande fille.

Et un jour, alors qu'Alphonse n'a que 5 ans...

Tiens, Alphonse, voici notre dernier 5¢. Va nous chercher du pain.

Oui, maman.

Puis, au magasin...

J'ai pas de pain à ce prix-là, mon garçon. ... Allez, ouste!

Je veux celui-là!

QUOI? T'as pas compris? J'ai dit DEHORS!

Allez et ne viens plus m'embêter, miséreux!

Qu'est-ce que maman va dire?

Ça ne va pas mon garçon?

4

Ce vilain monsieur n'a pas voulu me vendre un pain. Mes frères et soeurs ont faim. Ils m'attendent pour le repas.

Je t'avais pourtant dit de...!

?!

Je crois que ce jeune garçon désire que vous lui vendiez un pain...

Vous ajouterez quelques beignets et deux tartes.

Bien monsieur.

Plus tard, à la maison...

...Et le grand monsieur très chic, il a tout payé, maman; voici ton 5 ¢.

Sainte Vierge Marie, que votre saint nom soit béni !...

Durant ces années difficiles, un rien égaie toute la maisonnée...

T'as vu mes nouvelles bottines, Alphonse ?

Wow! ça, c'est un beau bateau !

Je vais mettre ces belles marguerites dans un pot, ce sera très joli sur la table... C'est vrai qu'elles sont belles tes bottines, Louis-Georges !

Mais le malheur frappe aussi. Le choléra, la jaunisse ou même une mauvaise grippe peut venir à bout des enfants les plus robustes. Triste réalité qu'il faut accepter.

Peu après la naissance d'Alphonse, Charles, 2 ans, meurt. En 1858, un petit frère naît mais ne survit pas.

Cependant la vie continue. Septembre 1861, Alphonse a 7 ans et ce mardi n'est pas comme les autres...

Où sont passés mes lacets de bottines ?

Toujours en retard, hein Louis-Georges ?

Venez voir comment Alphonse est beau !!!

Mon garçon, te voilà prêt pour **TA PREMIÈRE ANNÉE SCOLAIRE.**

Pourquoi cette tête? Tu vas t'inscrire, te faire des amis.

Gloub!

Le jeune Alphonse fréquentera l'école Potvin pendant trois ans.

ÉCOLE POTVIN

Bonjour! Je m'appelle Alphonse.

M... Moi, c'est Eugène.

Silence!

Puis arrive septembre 1864. À 10 ans, il est temps pour Alphonse d'entrer au Collège de Lévis.

Partez tranquille, Mme Desjardins, votre fils est inscrit.

Merci. De nos jours, l'instruction c'est si important.

Les années passent et la différence d'âge entre les enfants se fait sentir.

Est-ce que je peux jouer avec vous autres, Louis-Georges?

T'es trop jeune, va jouer avec les jumeaux!

Pfft! les jumeaux... J'suis pas un bébé.

- Soupir -

6

Alphonse a maintenant 16 ans. Il a terminé ses études commerciales au Collège de Lévis.

Tu sais, maman, j'ai réfléchi : j'ai décidé de ne pas poursuivre mes études.

Qu'est-ce que tu vas faire, mon garçon ?

Me chercher du travail ; ainsi je pourrai vous aider à joindre les deux bouts.

Ton père et moi, on aurait bien voulu que tu continues, mais...

Je ne vous en veux pas car vous avez fait tout votre possible. Vous m'avez donné l'amour et l'honnêteté. C'est l'essentiel, non ?

Durant l'année qui suit, le jeune Alphonse ne recule devant aucun travail.

À l'été 1871, sans emploi, Alphonse s'enrôle dans le 17e bataillon et rejoint son frère Louis-Georges.

Mais la carrière du sergent-major Alphonse Desjardins est de courte durée. Au printemps 1872, le 17e bataillon range son drapeau. Son fusil n'aura jamais servi...

Me voici sans travail, Louis-Georges, qu'est-ce que je vais faire maintenant ?

Va rencontrer Belleau à « L'Écho de Lévis ». Il cherche quelqu'un qui n'a pas peur de se retrousser les manches.

Je préférerais travailler avec toi à Québec.

Sûrement pas tout de suite, Alphonse. Il est possible que j'achète un journal ; j'étudie l'affaire.

C'est vrai ? Tu veux devenir propriétaire d'un journal ?

Pas demain matin, mais j'y pense... D'ici là, prends de l'expérience chez Belleau, on travaillera ensemble plus tard. D'accord ?

Le lendemain matin...

J'espère que ça va marcher.

Oui ! Entrez.

7

Bonjour M. Belleau, je m'appelle Alphonse Desjardins, c'est mon frère Louis-Georges qui m'envoie...

Comment? Desjardins?

Oui, monsieur.

Écoute, mon ami, je dois préparer au plus vite ma dernière édition. Si tu veux, enlève ta veste, prends cette pile de papier et place-la ici.

Sur-le-champ Isidore Belleau engage Alphonse...

...Et lui apprend tous les trucs du métier de journaliste durant les quatre années qui suivent.

Entre-temps le père d'Alphonse meurt en 1875 à l'âge de 64 ans.

Le 12 juillet 1876, « L'Écho de Lévis » ferme ses portes: Alphonse, 21 ans, rejoint son frère Louis-Georges qui s'est porté acquéreur d'un journal.

Bienvenue au «Canadien», Alphonse! Je suis fier d'engager un élève de Belleau. Viens que je te présente mes collaborateurs.

1878. Alphonse, 24 ans, prend le traversier pour la nième fois. Mais cette fois ne sera pas comme les autres...

Juste à temps, mon gars!

Charmante demoiselle!...

Je suis sûr qu'elle me regarde.

Mais comment l'aborder ?

Hé! jeune homme! On veut faire le trajet aller-retour ? Ça fait cinq minutes qu'on est accosté.

?! DÉJÀ ?

La timidité d'Alphonse est récompensée plus tard sur le parvis de l'église Notre-Dame de Lévis.

Bonjour Mme Desjardins, j'aimerais vous présenter Dorimène, ma nièce de Sorel.

Bonjour madame.

Bonjour mademoiselle. Voici mon fils Alphonse.

Ils n'ont pas oublié la courte traversée du Saint-Laurent et les discrets regards échangés...

Cette année là, l'assiduité d'Alphonse est vite remarquée et les fréquentations surveillées avec sévérité.

Encore un peu de thé, Alphonse?

Non, merci Dorimène.

Déjà 9 heures et je travaille demain: il est temps de partir.

Au revoir. Je vous reverrai bientôt... Bonsoir M. Thériault.

À demain Alphonse.

Bonsoir jeune homme.

À moins que...

Oui, qu'est-ce que c'est?

TOC TOC TOC

DORIMÈNE, VOULEZ-VOUS M'ÉPOUSER?

Entre-temps, la construction de la maison d'Alphonse va bon train, rue Blanchet à Lévis. C'est ici que Dorimène et lui connaîtront de nouvelles joies familiales avec leurs six garçons et leurs quatre filles.

Les années passent et nous voilà en 1890. Alphonse continue d'accomplir aussi consciencieusement que possible son travail d'éditeur des Débats.
On raconte qu'un jour...

Le Premier ministre vous réclame, M. Desjardins.

D'accord, j'y vais immédiatement.

Je me demande ce qu'il me veut...

TOC TOC TOC

Ah! Desjardins : je vous attendais. Allez, prenez place.

Merci, M. le Premier ministre.

J'ai lu le dernier journal des Débats et je crois qu'il s'est glissé une petite erreur.

Ah oui ?

Je ne me souviens pas d'avoir prononcé le discours que vous m'attribuez, du moins pas dans les mots que vous avez laissé imprimer.

C'est pourtant ce qu'il a dit !

Le gouvernement ne vous subventionne pas pour publier vos impressions, mais pour résumer le plus exactement possible les délibérations de l'Assemblée.

Puis-je consulter mon carnet ? Je publierai la correction avec plaisir si...

Inutile !

J'ai moi-même rédigé un correctif.

Vous aurez l'obligeance de le faire imprimer dans le prochain journal des Débats.

?!

Mais si j'ai dit la vérité...

Et moi je vous dis que vous vous êtes trompé !

De retour à son bureau, Alphonse relit ses notes et constate :

C'est pourtant le sens de ses paroles.

Quelques jours plus tard...

Il fallait être courageux quand même pour tenir tête à Honoré Mercier.

Ce Desjardins, il a du caractère !

Mais parfois l'intégrité se paie cher...

Alphonse ! À cette heure-ci ? Que se passe-t-il ?

J'ai perdu mon emploi.

Mercier a peut-être réussi à me mettre au chômage, mais **je ne resterai pas là à rien faire !**...

Je vais fonder mon **PROPRE JOURNAL !**

BOUM

C'est ainsi que naît, le 9 juillet 1891, le quotidien «L'UNION CANA-DIENNE» où Desjardins exprime librement ses opinions politiques...

Parfait !

...Et s'attaque violemment au Premier ministre Mercier toujours au pouvoir.

Quoi ?! Encore ce Desjardins !... avec un journal.

Mais l'aventure ne durera que trois mois, faute de capitaux.*L'Union Canadienne* ferme ses portes le 9 octobre 1891.

J'aurai bientôt 40 ans, j'ai 7 enfants, et me voilà devant rien.

Aie confiance, Alphonse: quelqu'un te reconnaîtra sûrement à ta juste valeur... Parles-en donc à ton frère Louis-Georges...

Tu as raison, il a toujours été de bon conseil.

Allez, une bonne tasse de thé, ça va nous faire du bien...

Par un heureux hasard, l'attente sera de courte durée. Ses amis alors au pouvoir à Ottawa se souviennent de lui.

Messieurs, le décès subit de notre sténographe nous cause un problème.

Il faut absolument le remplacer pour l'ouverture de la session.

J'ai l'homme qu'il vous faut !

En effet, le choix s'est porté sur Alphonse Desjardins. Le 8 avril 1892, celui-ci entre au Parlement fédéral comme sténographe parlementaire des Débats français à la Chambre des communes.

Bienvenue à Ottawa, M. Desjardins. Si vous voulez bien me suivre...

Le voyage en train n'a pas été trop pénible ?

Non, ça s'est bien passé...

Aussitôt en poste, Alphonse se met à la tâche. Il assiste à tous les débats en Chambre.

Le soir, il rentre à sa chambre près du parlement.

Souvent, il rencontre son frère François-Xavier, alors muté à Ottawa.

...Je le sais, Alphonse, ça fait plus de 20 ans que j'œuvre dans les assurances et c'est toujours le même problème.

Il faudrait pourtant concevoir un système populaire d'assurance apte à compenser le revenu à la suite d'une maladie ou du décès du chef de famille...

Cette question m'intéresse au plus haut point, mais ...

Excusez-moi, M. Alphonse Desjardins ?

Oui !

J'ai un télégramme pour vous.

!?

MON DIEU!

Le malheur frappe en effet la famille Desjardins. Alice, 8 ans, meurt le 30 avril 1892.

Peu de temps après, le petit Alphonse, 5½ ans, rejoint sa grande soeur au cimetière de Lévis.

Alphonse, à peine remis de cette double épreuve, doit rentrer à Ottawa pour la session parlementaire.

Bonjour Alphonse.

Ah! Xavier!

Mes condoléances. J'aurais aimé être à vos côtés, mais je n'ai pu me libérer.

Je comprends.

J'ai réfléchi à notre discussion sur l'assurance-vie... Je compte bien fouiller ce sujet à fond.

Tu as raison: le travail, c'est encore la meilleure façon d'oublier nos peines.

C'est ainsi que, dans ses moments libres, Alphonse entreprend des recherches sur l'assurance-vie à la bibliothèque du parlement.

...Ainsi, après une lecture approfondie des ouvrages cités plus haut, j'en viens à la conclusion qu'un système populaire d'assurance pourrait ...

Mais la recherche, si passionnante soit-elle, n'apporte pas de pain sur la table. Aussi, entre les sessions parlementaires qui durent approximativement six mois...

...Alphonse donne des cours de sténographie au Collège de Lévis.

Les principales qualités d'un bon sténographe sont la rapidité, la rigueur et la fidélité aux propos recueillis...

Travailleur infatigable, Alphonse fait, depuis cinq ans, la navette entre Lévis et Ottawa.

Vos billets S.V.P.

Mais ce qui se passe le 6 avril 1897 bouleverse l'éditeur et déclenche chez lui le début d'une action personnelle qui occupera 20 ans de sa vie.

La parole est au député de Montréal-Sainte-Anne, M. Michael Quinn.

Merci, M. le Président. J'irai droit au but. J'aimerais soumettre à cette Chambre un projet de loi visant à soustraire les emprunteurs à l'obligation de payer des taux d'intérêts démesurés ...

...Je pourrais vous citer des cas où des usuriers* ont perçu des intérêts qui équivalent à ...

3000% PAR ANNÉE !

Il y a quelques jours, à Montréal même, un homme qui avait emprunté 150 $ a été poursuivi et condamné à payer en intérêts seulement la somme de **5000 $.**

CINQ MILLE DOLLARS ?!!

Ces prêteurs sans scrupule rongent nos villes et nos campagnes. Ce sont eux qui forcent l'habitant à abandonner sa terre et l'ouvrier à s'exiler aux **ÉTATS-UNIS !**

* usurier: prêteur sur gages.

17

19

Il lit et relit **People's Banks**. Bien qu'il y découvre une mine de renseignements, il veut en savoir plus.

Il entreprend alors une vaste correspondance avec de nombreux pionniers de la coopération à travers le monde.

Bonjour, M. Desjardins, ...une lettre pour la France ?! ...

...Et celle-ci pour l'Italie.

En 1898, le long-courrier à voile et à vapeur de la « Allen Line » se fait le messager d'Alphonse.

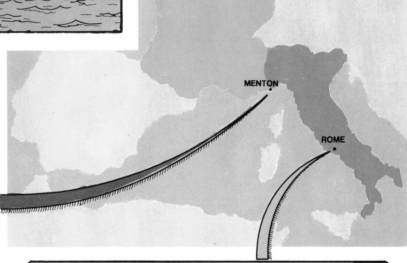

MENTON

ROME

Il correspond avec les Français **ROSTAND** et **RAYNERI**...

« Cher M. Rayneri, Depuis plusieurs mois (...) sur le crédit populaire (...) et (...) les questions qui (...) »

En Italie, c'est au tour de **LUZZATTI** de recevoir du courrier du Canada.

Tiens! Une lettre d'Amérique? A. Desjardins, Lévis ?!

L'Angleterre, où réside l'auteur de **People's Banks**, est une cible de choix.

« (...) De plus, M. Wolff, ces caisses rurales ont-elles produit un bien appréciable ? »

L'Allemand **CRUGER** est également consulté...

Komm'! Unaufhörliche deinen Brief aus Kanada zu lesen: Ich hab'euch ein gutes Sauerkraut vorbereitet. *

De même que le Belge **ANDRIMONT.**

« ...Enfin, les caisses ont-elles favorisé l'épargne là où elle n'était pas ou peu pratiquée ? »

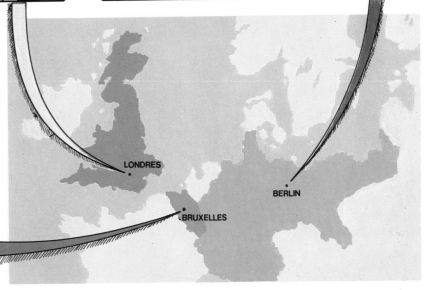

LONDRES

BERLIN

BRUXELLES

Heureux de voir qu'en Amérique on s'intéresse au crédit populaire, ces bâtisseurs européens de la coopération n'hésitent pas à lui répondre.

Ainsi, plus tard, devant le Collège de Lévis...

Bonjour Alphonse.

Joseph, Joseph! j'ai reçu une lettre de **LUZZATTI!!**

Quel Luzzatti ?

Mais vous savez, l'italien des banques populaires.

Ah! je comprends maintenant pourquoi tu es si pressé de me voir !

Grand ami d'Alphonse, l'abbé Joseph Hallé, diplômé en théologie à Rome, connaît l'italien.

Qu'est-ce qu'il dit ?

Mais, Alphonse, laisse-moi le temps au moins de lire la première phrase !

Cette lettre ne sera pas la dernière, loin de là ! Elle sera suivie de centaines d'autres. Plus tard, on découvrira dans les papiers personnels d'Alphonse Desjardins, **1275** documents soulignés et annotés qui lui auront servi à bâtir son oeuvre.

*Allez, cesse de lire ta fameuse lettre du Canada, je vous ai préparé une bonne choucroute.

21

Après trois ans passés à fouiller la question, Alphonse se croit enfin prêt à former une société d'épargne et de crédit populaire.

Wolff m'écrit de ne pas attendre une loi, mais de passer à l'action immédiatement.

Tu as investi tant de temps et d'énergie dans ce projet, je crois que c'est à toi de décider...

Quelques jours plus tard, Alphonse convoque ses amis, ses confrères du Collège de Lévis et quelques concitoyens à une rencontre chez lui.

Ça y est, Dorimène, j'ai invité une quinzaine de personnes.

On étudiera la possibilité de fonder notre caisse. Elles viendront ici jeudi soir prochain.

Jeudi prochain? Bonne Sainte-Anne! Est-ce qu'on a 15 chaises?

Ce jeudi **20 septembre 1900** marque l'Histoire. Neuf personnes répondent à l'appel d'Alphonse et se réunissent chez lui pour rédiger les règlements d'une première caisse populaire.

Maman, qu'est-ce que tous ces messieurs font, en bas, avec papa?

Ils discutent de la fondation d'une caisse populaire.

OH OUI!

Mais..., c'est quoi une caisse populaire?

Je vais te l'expliquer si tu me promets de dormir tout de suite après.

Une caisse populaire, c'est une association de personnes qui mettent leurs épargnes en commun pour s'entraider.

Oh! c'est compliqué!...

Mais non, regarde: supposons que tu as amassé 6¢, que tu conserves précieusement ici.

Tu as ainsi une épargne de 6¢.

ÉPARGNE de 6¢

Si tes amis en font autant, vous avez chacun des épargnes qui, isolées, valent peu de chose...

ANNE... 3¢

RAOUL... 8¢

PAUL-ÉTIENNE... 1¢

GERTRUDE... 13¢

Imagine maintenant que toutes ces épargnes sont réunies...

31¢

... *Et* que, régulièrement, chacun dépose au même endroit d'autres sous épargnés...

... *Quelle force!*

Ah! c'est ça une caisse populaire?

Oui, et bien plus, puisqu'il est possible de prêter cet argent. On dit alors que la caisse fait crédit. Prends le cas de Paul-Étienne...

Bonjour Paul-Étienne! oh!... Pourquoi pleures-tu?

Je n'ai pas assez d'argent pour m'acheter de nouvelles bottines...

Pourquoi ne fais-tu pas une demande d'emprunt? Tu es membre de notre caisse!

Quelques jours plus tard...

Je représente ici tous ceux qui déposent des sous à la caisse et nous sommes d'accord pour te prêter ce qu'il te manque, Paul-Étienne. Tu nous rembourseras selon les règlements de la caisse.

OUI!

Tu vois, c'est une simple question d'épargne et de crédit.

23

Votre grand frère a raison : la caisse prêtera au menuisier qui a besoin d'outils, à la famille à qui il faut un nouveau poêle, au paysan pour l'achat de semences, etc.

D'abord, pour combattre les prêteurs sur gages...

Puis pour habituer à l'épargne toutes ces honnêtes gens qui travaillent fort, afin qu'ils puissent administrer eux-mêmes leur argent.

Tout est payé: voici ce qu'il nous reste !

On pourrait, bien sûr, s'offrir du luxe, mais il vaut mieux penser à l'avenir, mon vieux.

Parce qu'elle appartient à tous ses membres, la caisse est avant tout au service de son milieu.

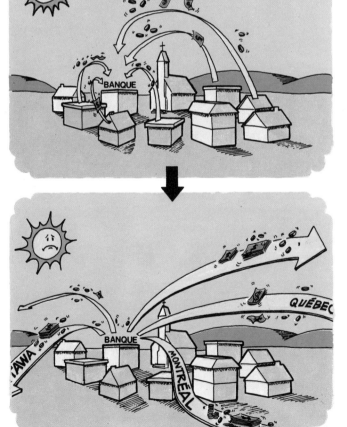

BANQUE

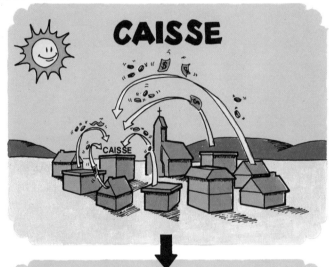

CAISSE

25

Et moi, maman, est-ce que je peux devenir membre ?

Tout le monde peut devenir membre d'une caisse, Paul ; chaque membre en est propriétaire à parts égales.

Ils se réunissent de temps en temps pour choisir ceux qui les représenteront.

... Et maintenant, M. Gauthier aimerait adresser la parole aux membres de la commission de crédit.

NOS ÉLUS

Je veux vous remercier, car c'est grâce à ma caisse si j'ai obtenu un emprunt qui m'a permis de sauver ma récolte cette année. Merci !

Souhaitons qu'un jour chaque village possède sa propre caisse ...

... Bon. Assez bavardé; on fait une petite prière, puis tout le monde au dodo.

Seigneur Jésus, protégez-nous et donnez à Alphonse les forces nécessaires pour qu'il réalise son grand projet.

Au même moment...

... Mes enfants qui dorment là-haut n'en connaissent pas encore les bienfaits, mais ce que nous entreprenons ce soir rejaillira sur chacun d'eux, et bien au-delà de cette maison...

...Et l'instrument de notre émancipation économique s'appelle: la **CAISSE POPULAIRE !**

Espérons que tout se passe bien...

L'enthousiasme débordant d'Alphonse se communique rapidement à chacun de ses interlocuteurs : Notre-Dame de Lévis aura sa caisse populaire.

Toutefois, 18 séances de travail seront nécessaires pour que le projet voie le jour.

Alors, qu'en pensez-vous, M. le curé ?

MERCI.

Je te l'ai toujours dit, Alphonse, ton oeuvre est appelée à faire beaucoup de bien parmi les classes laborieuses. ... Tu peux aller en paix : dimanche, j'annoncerai ta convocation.

Puis, ce dimanche-là...

... Oui et n'oublions pas que le Seigneur est partout et que lui seul peut nous éloigner des tentations de l'enfer... AMEN.

J'en profite pour vous annoncer la tenue d'une réunion spéciale, jeudi soir prochain, le 6, à la salle des Artisans. Elle sera présidée par M. Alphonse Desjardins. Il vous expliquera les bienfaits qu'apportera à la communauté la fondation d'une CAISSE POPULAIRE
· · ·

Voilà un bon moyen de combattre la cupidité dont nous venons de parler...

... C'est par l'entraide et la coopération que nous combattrons la misère qui afflige tant de nos gens !

Quatre jours plus tard...

C'est le grand jour. Comment te sens-tu ?

Plutôt nerveux... Mais je crois bien que je suis prêt. Nous allons enfin savoir ce qu'en pensent nos concitoyens.

Je suis sûre que ça marchera.

27

En ce soir du 6 décembre 1900, Alphonse a rendez-vous avec le destin...

Regarde tous ces gens qui viennent à la réunion !

Dorimène, je crois que cette fois ça y est.

Bonsoir Alphonse. Il y a une centaine de personnes qui vous attendent !

C'est merveilleux, Pierre !

Quelques minutes plus tard...

Merci d'être venus en si grand nombre à cette première assemblée...

Nous avons la chance, ce soir, de fonder une coopérative d'épargne et de crédit...

Des personnalités aussi connues et respectées que le curé Gosselin de Lévis ainsi que l'abbé Carrier, supérieur du Collège de Lévis, appuient le projet d'Alphonse.

Que vous déposiez 10¢ ou 10 $, chacun de vous aura son mot à dire puisque vous serez propriétaire à parts égales.

... Par ailleurs, la caisse pourra prêter à un taux raisonnable...

Mes chers amis, posons ensemble un geste concret qui ira bien au-delà des frontières de notre paroisse !

L'optimisme règne et la réponse des participants dépasse tout espoir. En effet, pas moins de 130 personnes signent le pacte social. La caisse est constituée le soir même.

L'assemblée procède immédiatement à l'élection des membres qui représenteront la PREMIÈRE CAISSE POPULAIRE. Alphonse est rempli de joie !

...J'appuie la proposition de M. Carrier.

La Caisse Populaire de Lévis

LE PREMIER CONSEIL D'ADMINISTRATION

LA PREMIÈRE COMMISSION DE CRÉDIT

LE PREMIER CONSEIL DE SURVEILLANCE

ÉLUS LE 6 DÉCEMBRE 1900

Cette année-là, ce fut le plus beau Noël qu'Alphonse ait jamais connu...

Ne jouez pas autour du sapin, les enfants.

Je n'ai jamais vu Alphonse si heureux !...

C'est que son grand projet a réussi : la caisse va ouvrir bientôt.

Le 23 janvier 1901, la Caisse populaire de Lévis ouvre officiellement ses portes à la salle des Artisans. Mais certains membres demandent à rencontrer le président et à déposer en mains propres.

Bonjour Mme Desjardins. Est-ce que votre mari est ici ? On aimerait faire un dépôt.

Il sera très heureux de vous recevoir. Entrez donc !

Merci.

Pour cette première journée de fonctionnement, un total de 26,40 $ sera déposé par 12 sociétaires.

... Toi aussi, tu sembles en pleine forme, Joseph ... Allez, assoyez-vous.

C'est vrai que les gens déposent de l'argent chez vous ?

C'est en plein ça, Napoléon !

Vous devez être riches !...

Raté ! Hé ! Hé ! Ce ne sont pas nos sous, mais les sous de tous LES MÊM...

BRES ?

Le jeune Napoléon n'est pas le seul à penser ainsi et c'est ce qui inquiète Alphonse à l'aube de son départ pour Ottawa.

Vas-tu m'apporter un cadeau à ton retour, papa ?

À condition que tu sois sage, mon chéri...

La session parlementaire débute le 4 février. C'est à contrecoeur qu'Alphonse quitte Lévis pour les cinq prochains mois.

N'oubliez pas de m'écrire souvent !

J'espère que tout se passera bien pour Dorimène.

Hélas ! ce ne sera pas le cas ...

MAMAN ! MAMAN !

Ils disent que papa... ...snif!... est un rêveur et qu'il ne connaît rien aux banques ...snif!...

Devant l'inconnu, les gens sont méfiants et portent parfois un jugement hâtif et cruel...

Quoi? Tu veux déposer tes sous dans la banque à Desjardins quand tu seras grande?!

La maîtresse a dit que ce n'est pas une banque, papa, mais la caisse de tout'le monde.

Qu'est-ce qu'elle connaît aux banques, celle-là?

Pauvre idiot! Il croit que c'est avec les sous des pauvres qu'on bâtit des fortunes.

Ha, ha, ha!... Il peut bien les ramasser puisque son père n'avait pas une token*!

...Ça, c'est ben ton frère Édouard. Faut-y être bonasse pour croire à ce Desjardins...

Ouais!

...Attends un peu que ton père arrive de travailler, tu vas voir c'qu'il pense de ce Desjardins.

Hé! les gars, regardez! Si c'est pas la fille du GRAND financier Desjardins!

Papa dit que ça vaut rien votre caisse! ♪ GNAGNA ♪ GNANGNAN...♪

Laisse-les dire ce qu'ils veulent. Un jour, ils comprendront tout le bien que ton père est en train de faire. Tu peux être fière de lui. Oublie tout ça et montre-moi ce que tu as appris à l'école aujourd'hui...

Rapidement, Alphonse est mis au courant de la situation...

Dorimène et les enfants vont bien?

Oui, mais, dans sa dernière lettre, je sens beaucoup d'inquiétude ...Les gens se moquent de la caisse.

Il faudrait trouver une solution pour que cessent ces racontars.

Ah! si seulement le gouvernement pouvait nous donner une loi. Ce serait tellement plus facile.

Le souhait d'Alphonse est à demi exaucé lorsque, quelque temps après...

Allô! M. Desjardins? ...Ici, Adélard Turgeon du gouvernement du Québec...

J'ai le plaisir de vous annoncer que, par suite de vos demandes répétées, l'Assemblée législative a décidé d'autoriser la publication des «Statuts et règlements» de votre caisse.

Oui, c'est VRAI? MERVEILLEUX!

Voilà une grande victoire. À défaut de loi, le gouvernement provincial reconnaît le bien-fondé de la caisse de Lévis.

*token: dans la langue populaire, désignait autrefois une pièce de peu de valeur.

31

8000 exemplaires sont en effet imprimés.

La distribution de cet ouvrage permet d'étouffer les ragots et attise, chez certains, le désir de poursuivre l'oeuvre d'Alphonse.

Ainsi, en juillet 1902, une deuxième caisse voit le jour, cette fois, à Lauzon.

On vous attendait, M. Desjardins. Je m'appelle Alexis Durand...

...Et moi, Joseph Vaillancourt.

Qu'est-ce que je peux faire pour vous, messieurs?

Nous représentons les habitants de Saint-Isidore et nous aimerions ouvrir une caisse dans notre paroisse.

Cette semaine, j'ai justement reçu une lettre du curé de la paroisse Saint-Roch, à Québec, qui me faisait la même demande.

Toutefois, Alphonse reste prudent. Sans une loi qui protège les caisses, il se refuse à en ouvrir d'autres...

Nous devons faire nos preuves.

...Il n'y aura pas d'autre caisse avant 1905.

Entre-temps, chaque année, Alphonse continue de se partager entre Lévis et Ottawa.

En mai 1904, il rentre d'urgence à Lévis...

Bonjour papa.

...Son fils Léon vient de mourir, un mois avant d'atteindre ses 7 ans.

Le coeur lourd, Alphonse repart pour Ottawa. Il ne reviendra qu'en septembre, après la fin des travaux parlementaires.

J'ai appris la triste nouvelle. Mes condoléances, M. Desjardins.

Merci, M. Monk.

Je sais que le moment est mal choisi, mais je voudrais vous parler de votre projet. À moins que...

Je vous en prie... J'avais l'intention de vous en parler ce matin.

Allons dans mon bureau; nous serons plus à l'aise pour discuter.

Pendant ce temps, à Lévis, les gens s'interrogent sur la santé financière des caisses. Petit à petit, les racontars refont surface.

Depuis cette mortalité, les Desjardins sont ben déprimés... Pauvre femme! toute seule à s'occuper de la marmaille pis de la caisse.

Pensez-vous que ça peut affecter le fonctionnement de la caisse?

En tout cas, ça aide sûrement pas!

Pis vous, M. Laflamme, que pensez-vous de tout ça?

Oh! moi, vous savez, j'ai toujours fait affaire avec une banque.

...C'est combien pour le tissu?

... Paraît que la caisse à Desjardins est en ben mauvaise posture... J'ai toujours su que ça ne marcherait pas.

... Si Laflamme le dit, c'est que c'est sérieux.

Ben ça parle au diable! Moé qui viens tout juste d'y déposer une grosse somme.

Alphonse doit redoubler d'effort pour parer aux attaques.

Ainsi, en décembre 1904, il réunit des membres influents de la politique et du clergé et fonde l'**À PE** dans le but de donner plus de crédibilité à son oeuvre.

ACTION POPULAIRE ÉCONOMIQUE

THOMAS CHAPAIS

Mgr BÉGIN

CHARLES LANGELIER

OMER HÉROUX

ADÉLARD TURGEON

J. CLÉOPHAS BLOUIN

ALPHONSE DESJARDINS

NÉMÈSE GARNEAU ET **PLUSIEURS AUTRES...**

Je propose qu'on soumette un mémoire au Premier ministre Laurier afin que le gouvernement d'Ottawa adopte une loi sur les caisses!

Mais Wilfrid Laurier reste sourd à la demande de l'APE ...

...Et le projet de loi est rejeté.

Seigneur, donnez-moi la force de continuer...

Alphonse et Dorimène ne sont pas au bout de leurs peines. Du reste, on vient de confier à cette dernière la gérance de la caisse dont les dépôts totalisent maintenant 40 000 $.

Vous savez, Mme Desjardins, les gens discutent et se demandent ce qui va arriver en cas de perte ou de vol...

?

Certains mettent en doute votre honnêteté.

?!

Avez-vous déjà pensé aux conséquences d'une faillite ? Vous pourriez vous retrouver dans la rue !

?!!

40 000 $!!! C'est toute une fortune à rembourser !

MAISON À VENDRE

Ne vous inquiétez pas, les enfants, je vais trouver un emploi et on s'en sortira.

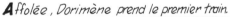

Affolée, Dorimène prend le premier train.

Je vais essayer de faire vite...

OUIIN !

OUiiiiiN ! ... SNIF... OUiiiiiN !

Puis ...

Toc Toc Toc

Oui ! ENTREZ.

DORIMÈNE ?!?

AVEC CHARLES ?

Que se passe-t-il ?

Papa, papa !

J'ai peur !

Mais de quoi parles-tu ? Explique-toi.

Dorimène explique en détail le but de cette visite impromptue...

...Enfin, j'ai pensé à notre responsabilité personnelle. Que va-t-il nous arriver, Alphonse ?

Après quelques secondes de réflexion...

Écoute, j'ai une idée : as-tu confiance en Mgr Bégin ?

Oui, mais pourquoi cette question ?

On va le rencontrer **ENSEMBLE**. Il nous dira quoi faire. D'accord ?

Dorimène approuve l'idée d'Alphonse, et aussitôt qu'ils sont de retour d'Ottawa, ils se rendent à l'archevêché de Québec.

Quoi ??! Tu songes à liquider la caisse ?

Si j'ai souscrit à l'APE, Alphonse, ce n'est pas pour que la caisse ferme ses portes, mais pour qu'elle **FASSE DES PETITS !**

J'ai foi en ton oeuvre et, en tant que chrétien, je ferai tout ce qui doit être fait pour qu'elle se propage.

Et maintenant, laissez-moi vous bénir.

In nomine patri, et filii, et spiritu sancti, amen.
...Alphonse, tu te relèveras quand tu m'auras promis de continuer ton oeuvre.

Je vous le promets, Monseigneur.

Je suis rassurée.

Maintenant, c'est une loi qu'il nous faut !

Sans perdre un instant, Alphonse convoque son ami, l'avocat Eusèbe Belleau, afin de l'aider à rédiger une loi sur les coopératives.

Je suis heureux que tu aies pensé à moi. J'accepte avec grand plaisir.

Merci.

Maintenant, devine à qui j'ai demandé de piloter le projet à l'Assemblée législative ?

Pas le Premier ministre ?

LUI-MÊME !

En effet, c'est nul autre que l'honorable Lomer Gouin qui dépose le projet de loi au début de la session parlementaire de 1906.

DORIMÈNE, DORIMÈNE !!!

NOUS AVONS GAGNÉ: LA LOI EST ADOPTÉE!

Nos efforts sont enfin récompensés!

À la suite de cette décision du gouvernement provincial, la rumeur va bon train...

Moi, J.O. Laflamme, j'ai toujours su que ça finirait par marcher.

...Et J.O. a rajouté...

J.O., y serait ben mieux de s'la fermer. Moé, M. Desjardins, j'ai confiance en lui. J'VAIS TE DIRE MIEUX QUE ÇA: DANS QUE QUE TEMPS LES CAISSES VONT POUSSER COMME DES CHAMPIGNONS, TU SAURAS ME L'DIRE !

La prédiction du fermier trouve un écho le soir du 27 septembre...

Il me fait plaisir de vous montrer, noir sur blanc, la « LOI CONCERNANT LES SYNDICATS COOPÉRATIFS » telle que l'a approuvée le GOU-VER-NE-MENT !

Grâce à cette loi, fini le doute, la peur, les hésitations...

Notre société peut maintenant prendre son essor, se développer et étendre ses activités ...

...Dans quelques mois, nous pourrons envisager l'ouverture de nouvelles caisses. Ce ne sont pas les demandes qui manquent.

La prudence et l'acharnement d'Alphonse ont porté fruit: une grande étape est franchie.

Quelques jours plus tard, alors qu'Alphonse se promène dans les rues de Lévis...:

HÉ! ATTENTION, jeunes hommes!

...S'cusez M. l'curé.

Ah! quelle jeunesse! Bonjour M. Desjardins.

Ne seriez-vous pas l'abbé Philibert Grondin?

Oui, je suis même un de vos fervents admirateurs.

Je suis heureux qu'aujourd'hui les gens comprennent tout le bien que la caisse peut faire, M. Desjardins.

Mais je manque de temps pour faire connaître la caisse dans toutes nos paroisses.

Si vous avez besoin de quelqu'un, je serai heureux de vous aider.

Justement, je suis à la recherche d'un jeune homme dynamique et sérieux qui manie bien la plume.

Cette rencontre marque le début d'une amitié durable. Alphonse convainc le jeune abbé de devenir son plus ardent propagandiste.

En effet, au cours des années qui suivent, Grondin signe plusieurs centaines d'articles sous divers pseudonymes. Sans contredit, il sera le plus actif collaborateur de Desjardins.

Alphonse sait s'entourer de personnalités influentes. Le 5 mars 1907, il reçoit la visite du gouverneur général du Canada, lord Grey.

...Et j'ai présenté une nouvelle demande de loi. ...Maintenant que Québec a légiféré, Ottawa pourrait en faire autant...?

Ce que j'admire le plus en vous, c'est votre ténacité.

Pensez-vous que nous avons une chance?

En tout cas, il me fera grand plaisir de témoigner en votre faveur. Après tout, ne suis-je pas un nouveau membre de votre caisse?

Cet appui inattendu redonne confiance à Alphonse quant aux chances de succès de son nouveau projet de loi.

Aussi, cette année-là, Alphonse remporte une importante bataille. En effet, les députés fédéraux approuvent le projet de loi qui passe avec succès les trois lectures réglementaires à la Chambre des communes. C'est maintenant au tour du Sénat de se prononcer.

Félicitations, Alphonse! Une fois que les sénateurs se seront prononcés, vous aurez votre loi. Je suis content pour vous.

Merci, M. Monk. Vous avez très bien défendu notre projet coopératif.

Entre-temps, l'épargne scolaire, communément appelée l'épargne du sou, qu'Alphonse a implantée au début de 1907, remporte un vif succès...

As-tu apporté un sou, Anatole?

NON! J'en ai pas apporté 1 mais 2! Hi, hi, hi!

Pis, toé Henri-Paul, l'as-tu ton sou?

Quel sou?

Le sou pour l'épargne scolaire c't'affaire! On voit ben que t'es nouveau. Ici, on fait comme à la Caisse populaire de Lévis; on encourage l'épargne.

L'implantation de la caisse scolaire allait connaître un succès foudroyant. En 3 mois seulement, 100 000 sous sont déposés dans 3 écoles. Encore aujourd'hui, on retrouve celle-ci dans la plupart des écoles primaires.

Qui m'a lancé cette cocotte de papier?

Ces succès font jaser...

100 000 sous en 3 mois, c'est toute une somme!

C'est pas toi qui disais que Desjardins était un pauvre idiot...?

MOI? J'ai jamais dit ça! C'est toi qui riais de lui parce qu'il voulait ramasser l'argent des pauvres.

Ah! mon toryeux! T'as la mémoire courte, toi!...

Puis, le 15 juillet 1908, à la Chambre des communes...

Le Sénat s'est prononcé sur la Loi concernant les sociétés industrielles et coopératives.

Enfin je vais savoir.

Voici le résultat du vote...

...Pour: 18; contre: 19.

Bonjour Alphonse.

Ironie du sort, la règle démocratique « une personne un vote », celle même qui sert d'assise au mouvement coopératif, se retourne contre Alphonse Desjardins : le Sénat a tranché et sa décision est irrévocable.

J'ai appris la décision en même temps que vous. Je suis très déçu. Puis-je m'asseoir ?

Cette fois, j'étais certain qu'on gagnerait, M. Monk.

Même si cela vous apparaît comme un échec, sachez que les sénateurs n'ont pas voté contre l'idéal coopératif.

Je sais ils ont dit : « Pourquoi légiférer quand la province de Québec l'a déjà fait ? » Belle façon de s'en sortir, n'est-ce pas ?

Qu'allez-vous faire maintenant ?

FONDER DES CAISSES !

La même année, Alphonse passe à l'action : il fonde 11 caisses. Aux quatre coins du pays, la « banque à Desjardins » suscite intérêt et curiosité.

Y paraît que dans le village de Saint-Grégoire y'a un gars qui a ouvert une banque...

C'est pas une banque, Isidore, ça s'appelle une **CAISSE POPULAIRE**. Et c'est fait pour du monde comme nous autres !

J'vois que t'es renseigné, mon Leboeuf.

Tiens, jette un coup d'oeil là-dessus ! Il y a un M. Lefranc* qui en parle justement.

* J.P. Lefranc est l'un des pseudonymes dont se servait l'abbé Philibert Grondin dans « La Vérité ».

Je me demande si ce M. Desjardins accepterait de venir nous parler de sa caisse...

Alphonse est sollicité de toutes parts. Beau temps mauvais temps, il sillonne la province. Rien ne l'arrête.

BiP BiP BiP

Vous allez au village?

Oui, on m'attend au presbytère.

Mettez vos bagages à l'arrière et montez; je vous y conduis.

Merci... C'est une belle voiture que vous avez là.

C'est la nouvelle Ford, modèle T. ...Ne seriez-vous pas le monsieur des caisses?

Oui, je suis Alphonse Desjardins. Ce soir, je donne une séance d'information à la salle paroissiale.

Tout le monde ne parle que de cette rencontre depuis 15 jours...

Ah! le vent tombe. Vous aurez du monde, ce soir.

Et le soir venu devant une salle bondée...

Et c'est **VOUS TOUS** qui en serez les propriétaires.

Que doit-on faire pour fonder notre propre caisse?

Bien souvent, c'est le curé qui offre le gîte.

On va enfin avoir notre caisse, M. Desjardins. Que Dieu vous bénisse!

Bien qu'exténué par tous ces voyages, Alphonse a au moins la satisfaction d'avoir fondé une 14e caisse.

Merci Seigneur! Demain, je rentre chez nous.

De retour chez lui, Alphonse s'accorde quelques jours de repos bien mérité.

Avec ces lettres qui arrivent de partout, le courrier s'accumule et je manque de temps pour y répondre.

Qu'est-ce que Dieu ?

Dieu est un esprit infiniment parfait.

Tu m'as promis que tu te reposerais aujourd'hui. Ton courrier peut bien attendre un jour de plus, non ?

Tu as raison, n'y pensons plus.

Où est Dieu ?

Dieu est partout.

Si Dieu est partout, pourquoi ne le voyons-nous pas ?

Nous ne voyons pas Dieu, parce que c'est un pur esprit qui ne peut être vu avec les yeux du corps.

J'AI TROUVÉ !

Quoi ?

Passe-moi ton petit catéchisme, Paul.

?

Imagine un peu, Dorimène, Question 1 : Qu'est-ce qu'une caisse populaire ?

Tu veux dire que tu vas expliquer le fonctionnement des caisses à partir du catéchisme ?

Exactement ! Qui ne connaît pas le petit catéchisme ?

Ben moi, papa ! C'est pour ça que Paul m'aide à l'apprendre.

Immédiatement, il accourt au Collège de Lévis...

Je savais que vous accepteriez, Philibert.

C'est une idée formidable, M. Desjardins !

Imaginez :
1° Pourquoi une caisse populaire ?
2° Quel est son but ?
3° Quels sont ses avantages ?

Je le vois déjà imprimé...

L'abbé Grondin se met aussitôt à la tâche. Il réfléchit, écrit, corrige...

Alphonse relit, commente, annote...

Qu'il s'agisse de la nature, de l'organisation ou de l'administration d'une caisse, le catéchisme* répondra à toutes les questions...

*Le petit catéchisme des caisses connaîtra un tel succès que, de 1911 à 1968, il fera l'objet de 15 éditions.

Le succès de la caisse est tel qu'il déborde les frontières du Canada. En 1909, le commissaire des banques du Massachusetts, Pierre Jay, invite Alphonse et Dorimène à Boston.

J'y vais.

T'as vu ces meubles et ces draperies? Ça doit valoir une fortune tout ça !

M. et Mme Desjardins ?

Oui.

Je m'appelle Johnson. C'est M. Jay qui m'envoie. Une voiture vous attend.

Nous descendons.

Quelques minutes plus tard...

Quelle ville magnifique!

Qui aurait cru que notre idée ferait autant de chemin ! ... Ah! j'aperçois M. et Mme Jay.

Nous sommes arrivés, monsieur.

Bienvenue au Twentieth Century Club de Boston, M. Desjardins.

Je suis heureux de vous revoir.

... Je suis un peu nerveux. Je n'ai pas l'habitude de ce genre d'auditoire.

Hauts fonctionnaires, banquiers, philanthropes : toutes les personnalités de la haute finance de l'État se sont déplacées pour entendre un sténographe leur parler de sa caisse populaire.

Ne vous en faites pas. Il n'y a personne ici qui connaisse mieux que vous le crédit populaire. Ils sont venus vous écouter. Je sais que vous les épaterez.

Espérons-le.

L'œuvre d'Alphonse, incomprise à Ottawa, obtient sa consécration aux États-Unis en ce 20 février 1909.

Le couple Desjardins est en route pour Lévis. Après un mois d'absence, la fatigue s'est accumulée; les succès aussi.

J'ai hâte de revoir les enfants. Ils me manquent tellement !

Je me promets quelques jours de repos en leur compagnie.

Pauvre Alphonse ! Tu penses que je vais croire ça ? Je ne me souviens même pas de tes dernières vacances.

Mais puisque je te le dis !

Dorimène connaît bien son homme. Infatigable, Alphonse ne s'endort pas sur ses lauriers. Aussi passe-t-il à l'action et 70 caisses voient le jour durant les années 1910, 1911 et 1912.

43

70ᵉ, 82ᵉ ou 96ᵉ caisse : Alphonse ne les compte plus, il les fonde.

À vous tous ici réunis, qui venez de signer le pacte social, je déclare la Caisse populaire de Trois-Pistoles officiellement ouverte, ce 29ᵉ jour de juillet 1912.

Mais, le mouvement est difficile à arrêter...

Maman?

Oui mon garçon ?

Je m'ennuie de papa ...

En octobre de cette même année, Alphonse se rend à New York où il donne des conférences durant une semaine.

Voici votre chambre, M. Desjardins.

La naissance des caisses populaires au New Hampshire et au Massachusetts éveille la curiosité des plus hautes autorités de Washington.

Les journaux en parlent beaucoup... Je crois que ce M. Desjardins est le conférencier tout indiqué pour ouvrir notre réunion des gouverneurs sur le crédit agricole le mois prochain !

Knox, je compte sur vous pour qu'il soit présent.

Je m'en occupe à l'instant même, M. le Président.

Papa ! Une lettre de la Maison-Blanche!

?

Dorimène, viens voir ! C'est LE PRÉSIDENT DES ÉTATS-UNIS ... Il m'invite person-nellement ...

Malheureusement, l'invitation arrive en retard et, à regret, Alphonse ne peut s'y rendre. Toutefois, il expédie au Président W. Howard Taft des documents qui décrivent les rouages d'une caisse populaire.

Regarde, papa, j'ai fini de clouer !

Déjà ? Tu travailles comme un vrai menuisier !

Tiens, appuie ici, Charles, on va scier cette planche.

Papa ! Le secrétaire de Mgr Bégin est ici. Il voudrait te parler.

Ne vous dérangez pas pour moi ...

Bonjour M. l'abbé. Que me vaut l'honneur de votre visite ?

J'ai une grande nouvelle à vous annoncer.

Saviez-vous que le pape Pie X est sociétaire d'une caisse populaire en Italie ?

Ah ! je suis heureux de l'apprendre.

Eh bien, il a chargé le cardinal Bégin de vous décorer.

Mon Dieu ! Quel honneur !

Pourquoi on va te décorer, papa ?

Pour que les gens reconnaissent tout le bien que ton père a fait, mon garçon.

La remise officielle a lieu le 14 avril 1913 chez les Desjardins.

...Et j'ai l'immense plaisir, Alphonse, de te remettre cette médaille, preuve de ta grande générosité envers ton prochain auprès de qui tu n'as cessé de pratiquer la charité chrétienne...

...Elle fait de toi un commandeur de l'Ordre de Saint-Grégoire-le-Grand !*

Merci. Je la porterai fièrement, Monseigneur !

Au même moment, le journaliste du «Devoir», Omer Héroux, rend hommage au commandeur et utilise le nom de «Caisses Desjardins» pour désigner les caisses populaires.

*Cette distinction a été instituée par l'Église, en 1831, pour récompenser le courage.

Mais les trois prochaines années s'annoncent plus éprouvantes...

... Ben oui, ça fera bientôt 10 ans que mon Zidore nous a quittés pour un monde meilleur.

À propos, on ne voit plus souvent M. Desjardins. Serait-il malade ?

Je ne sais pas mais, la dernière fois, je l'ai trouvé maigri.

En effet, atteint d'urémie* Alphonse est forcé de quitter son emploi, laissant derrière lui 24 années de labeur. Jamais plus il ne reviendra à Ottawa.

À quelque chose malheur est bon, dit le proverbe. Si Alphonse est désormais confiné à la maison, il peut par contre consacrer tout son temps à la réflexion, s'occuper de sa volumineuse correspondance et trouver réponse aux problèmes des caisses.

Savais-tu, Albertine, qu'au cours de l'année 1916, pas moins de 5 caisses ont dû fermer leurs portes et que plusieurs autres ont eu de sérieuses difficultés ?

Mais comment faire pour empêcher ça ?

Je crois que la solution serait de doter chaque caisse d'un fonds de réserve ou, si tu préfères, de ressources financières plus importantes pour éviter le pire.

Mais les sociétaires n'ont pas cet argent ...

Tu sais déjà qu'une caisse, c'est une association de personnes qui mettent leurs épargnes en commun pour s'entraider; pourquoi les caisses ne feraient-elles pas la même chose ?

J'avoue, papa, que je ne te suis pas très bien...

J'ai pensé à un projet ...

* Urémie : insuffisance grave de la fonction des reins.

J'ai l'intention de proposer la création d'une FÉDÉRATION qui regrouperait l'ensemble des caisses. D'abord, on y retrouverait une CAISSE CENTRALE, financée par toutes les caisses, qui leur viendrait en aide en cas de besoin et qui maintiendrait l'équilibre entre elles.

Ensuite, cette FÉDÉRATION s'occuperait d'inspection, d'éducation et fournirait l'information nécessaire à la création de nouvelles caisses.

C'est une merveilleuse idée!

$$$ CAISSE CENTRALE — INSPECTION ÉDUCATION FONDATION

FÉDÉRATION

Car vois-tu, Albertine, je suis maintenant vieux et malade et je ne suis pas éternel...

Ne dis pas ça, papa, tu as encore de belles années devant toi...

Mais Alphonse sait déjà qu'il ne vivra pas assez longtemps pour voir son grand projet se concrétiser. Peu de temps après, affaibli par la maladie, il est cloué dans son lit.

Dorimène, tu sais que c'est la première fois que je manque une assemblée...

Et comment que je le sais! Durant toute notre vie, j'ai admiré ta fidélité et ta loyauté...

...C'est pour ça que je t'aime tant et que je t'aimerai jusqu'à la fin...

Hélas! la fin est proche et le soir du 30 octobre 1920, quelques jours avant de célébrer son 66e anniversaire, Alphonse Desjardins s'éteint à sa résidence.

De partout, les gens viennent lui rendre un dernier hommage et pas moins de 2000 personnes assistent à ses funérailles.

Un grand homme est mort, une légende est née.

À LA MÉMOIRE DU COMMANDEUR ALPH. DESJARDINS FONDATEUR DES CAISSES POPULAIRES DÉCÉDÉ LE 31 OCTOBRE 1920 À L'ÂGE DE 66 ANS

textes et dessins : FRÊCHE

48

FIN